LOS 100 PRIMEROS DÍAS DE ESCUELA DE EMILIA

ROSEMARY WELLS

EVEREST
INTERNACIONAL

Título original: *Emily's First 100 Days of School*
Traducción: Liwaiwai Alonso

Copyright © 2000 by Rosemary Wells.
Originally published in the United States and Canada by Hyperion as *Emily's First 100 Days of School*. This translated edition published by arrangement with Hyperion.
© 2001 EDITORIAL EVEREST, S. A.
Carretera León-La Coruña, km. 5 - LEÓN
ISBN: 84-241-8019-4
Depósito Legal: LE. 1588-2001
Printed in Spain - Impreso en España

EDITORIAL EVERGRÁFICAS, S. L.
Carretera León-La Coruña, km. 5
LEÓN (España)

NOTA DE LA AUTORA

CUANDO ERA PEQUEÑA y estaba en la escuela primaria no me gustaban nada las matemáticas. Teníamos que aprender todo de memoria y me resultaba imposible ver cómo podía aplicar aquellas lecciones a la vida real.

Sin embargo, los números son algo maravilloso. Aparecen en todos nuestros juegos, nuestras poesías y nuestras canciones. Los números son una parte fundamental de nuestra cultura. Algunos números están tan estrechamente ligados al lenguaje, que evocan ciertas imágenes en nuestra memoria en cuanto los oímos nombrar; otros números son tímidos y hay que sacarlos de sus escondites.

En este libro todos los números tienen la misma importancia y todos son divertidos.

Rosemary Wells

El primer día de escuela me separo de mi mamá con un abrazo. Estoy tan nerviosa que no me acuerdo de llorar.

Tengo mi propio pupitre y mi propio cuaderno.
Mi maestra es la señorita Cifra.

La señorita Cifra dice:
—Cada día haremos un nuevo amigo:
un número amigo. Lo escribiremos en nuestro
cuaderno de números. Dentro de cien días
daremos una gran fiesta.
Nos cuesta creer que llegaremos a los cien días.

El segundo día de escuela la señorita Cifra nos enseña una canción que se llama "Té para dos". El número dos es nuestro número amigo de hoy.
Lo apunto en mi diario. Al volver a casa voy cantando "Té para dos".

Voy a la escuela en el autobús número tres.
Papá me enseña el número tres. No quiere que me equivoque de autobús al salir de clase.

Jugamos a las cuatro esquinas.
Mi pareja es la Pata Diana.
Un cuadrado tiene cuatro
esquinas.

Al salir de clase recojo
cinco verduras
diferentes del jardín.
Papá prepara sopa de
tomate-calabacín-
pimiento-zanahoria-
berenjena.

En casa cenamos a las seis. En mi diario
dibujo un reloj. Las manecillas marcan las seis.

Mi hermana mayor, Eloisa, tiene una margarita de siete pétalos.
—Me quiere, no me quiere, me quiere, no me quiere, me quiere... —dice Eloisa.
—¿QUIÉN? —le pregunto.
Pero no me lo quiere decir.

Mi hermano pequeño, Leo, está resfriado. Tiene que pasar todo el día en la cama. Después de la escuela le enseño a jugar con ocho cartas.

9

La señorita Cifra nos enseña un mapa
del cielo nocturno.
Nuestro sistema solar está formado
por nueve planetas.
Aquí estoy disfrazada de Saturno.

Mercurio Venus Tierra Marte Júpiter

Saturno Urano Neptuno Plutón

La señorita Cifra se disfraza de Sol.
—Nueve planetas más un sol suman diez cuerpos celestes —dice la señorita Cifra.

Cada día a la hora de la siesta leemos un cuento diferente. Copiamos los nombres de los libros en hojas de papel y colgamos las hojas de un árbol.
Mi árbol de libros tiene once hojas.

Leo y yo recogemos una docena de zinnias para darle a mamá una sorpresa por su cumpleaños.
—¿Quién habrá hecho una cosa tan maravillosa? —se pregunta mamá.

13

Eloisa tiene trece años. Se cree que lo sabe todo.

14

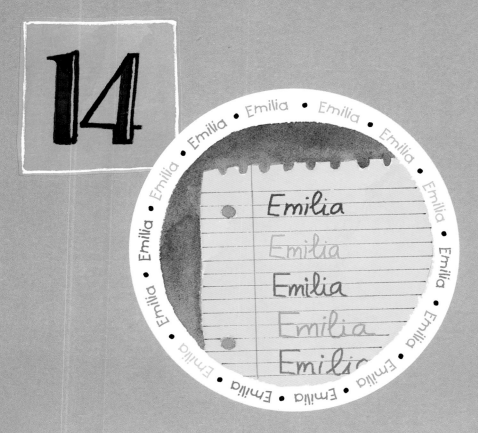

La señorita Cifra nos da estrellas doradas por escribir nuestros nombres sin ninguna falta. Yo escribo Emilia en catorce colores diferentes.

Mi mejor amiga de la escuela es la Pata Diana. Su papá nos lleva a dar un paseo en bote. El motor tiene quince caballos. —¿Será como quince caballos que nadan? —le pregunto

Después de cenar Leo, Eloisa, la abuela, el abuelo y yo cantamos la canción "Dieciséis Toneladas."

La señorita Cifra nos lee en voz alta *Dick y su burro*. Luego me toca leer a mí. Leo diecisiete palabras yo solita.

—¡Qué bien! —dice la señorita Cifra.

Dick y su burro suben por la colina grande.
—Hola, Dick —le dice un extraño hombre azul.

La señora Petra es ciega. La Pata Diana y yo la ayudamos a cruzar la Calle Mayor.

—¡Dieciocho pasos de una acera a otra! —dice la señora Petra—. Ahora ya sé dónde estoy.

Leo come un bizcocho de piña cabeza abajo.

—Hay diecinueve formas de hacer un bizcocho de piña, pero sólo una forma de comerlo —dice mi mamá.

20

Llevamos cajas de cartón a la escuela. La señorita Cifra construye unas cabinas con tres cajas. Las utilizamos para jugar a las Veinte Preguntas.

ANIMAL

VEGETAL

MINERAL

21

Hoy es el cumpleaños de nuestro profesor de música, el señor Corneta.
Toda la clase le canta "Cumpleaños Feliz" y le dedicamos un saludo con veintiuna trompetillas.

22

El abuelo nos lleva a ver un partido de fútbol americano.

Cuento los jugadores que hay en cada equipo y son once. El abuelo me ayuda a contar. Hay veintidós jugadores en total.

SECCIÓN 23

¡ÁNIMO!

¡VIVA!

23

Nuestros asientos están en la sección número veintitrés de la tribuna.

Hoy cada una de las familias de la clase ha preparado
dos docenas de galletas. Las llevamos a la escuela
para celebrar que nuestros padres vienen de visita.
Dibujo las veinticuatro galletas en mi diario.

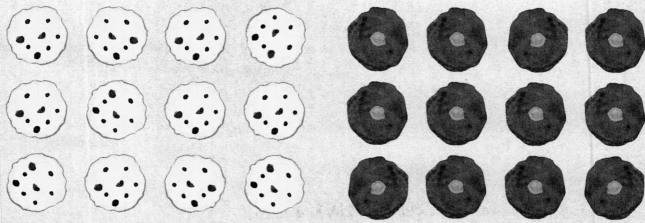

25

Recojo veinticinco escarabajos en el jardín.
Me pagan un centavo por cada uno.
Veinticinco centavos suman un cuarto de dólar.

Leo un cartel con el nombre de nuestro pueblo, VALLE DE LA ALEGRÍA JUNTO AL MAR. ¡El nombre tiene veintiséis letras!

El alfabeto español tiene veintisiete letras y yo sé escribirlas todas. Las mayúsculas y las minúsculas.

28

—¿Es que no te gusta la gelatina de verduras? —me pregunta el encargado de comedor.
—Primero quiero contar los guisantes que tiene —le respondo.
En mi gelatina hay veintiocho guisantes.

29

Hoy ha venido a la escuela un niño nuevo. Se llama Raúl y es de un lugar conocido como "Veintinueve Palmeras" y está en California. Lo buscamos en el mapa.

Septiembre

Domin.	Lunes	Martes	Miércol.	Jueves	Viern.	Sáb.
					1	2
3	4	5	6	7	8	9
10	11	12	13	14	15	16
17	18	19	20	21	22	23
24	25	26	27	28	29	30

La señorita Cifra nos enseña
a recitar un poema.

*Treinta días trae septiembre
con abril, junio y noviembre.
Los demás traen treinta y uno
y febrero menos que ninguno.*

Octubre

Dom.	Lunes	Martes	Miércol.	Jueves	Viernes	Sáb.
1	2	3	4	5	6	7
8	9	10	11	12	13	14
15	16	17	18	19	20	21
22	23	24	25	26	27	28
29	30	31				

31

Eloisa tiene treinta y dos insignias de las Chicas Scout y hasta una de Primeros Auxilios. Cuando Leo se cae de un árbol, ella le hace un cabestrillo con su pañuelo.

La calabaza ganadora del premio en la feria regional pesa treinta y tres libras.

Anoche el viento llenó de bellotas los escalones de la entrada. Cuento treinta y cuatro bellotas y con ellas hago un collar para la abuela.

La señorita Cifra recibe una postal de su hermano que está en Costa Rica. En el sello pone treinta y cinco céntimos.
—¡Algún día le escribiré una carta a Costa Rica!

Eloisa, Leo y yo
hacemos marcas
de tinta en la pared
de la cocina para ver
cuánto hemos crecido.
Medimos con una vara
que tiene treinta y seis
pulgadas.

Eloisa me enseña el número
treinta y siete en sus deberes.
—Es un número primo —dice
Eloisa—, no se puede dividir.
Algún día lo entenderás.
Eloisa siempre dice cosas así.

38

Nuestro vecino el señor
Hernández conduce un auto
muy viejo.

—Es un DeSoto del treinta y ocho —dice el señor
Hernández—. El mejor auto del mundo.

39

—Yo cumplo cuatro años. ¿Tú
cuántos años tienes, tía Mimí?
—le pregunta Leo.

—Yo tengo treinta y nueve
años —responde tía
Mimí—. Soy toda una
jovencita.

40

Papá le construye a Leo un arca de Noé por
su cumpleaños.

—¡La verdadera arca de Noé navegó durante
cuarenta días y cuarenta noches! —dice papá.

La Pata Diana viaja a Nueva York. En el vuelo de Diana la compañía aérea pierde cuarenta y una maletas. Su mamá tiene que comprarle ropa nueva.

Diana nos envía una postal para toda la clase desde Nueva York. Es una foto de la calle cuarenta y dos. Yo se la leo en voz alta al resto de la clase.

En Halloween, el día de las brujas, Leo se disfraza de astronauta. El abuelo le hace a Leo un casco espacial con cuarenta y tres antenas de fibra óptica a prueba de meteoritos.

Hoy se celebra el Día de las Selvas Tropicales.
La señorita Cifra nos muestra una foto donde
se ve una parte de la selva amazónica.
—¿Cuántos escarabajos ven aquí? —nos pregunta
la señorita Cifra.
Yo cuento cuarenta y cuatro.

Eloisa estudia los triángulos.
—Éste tiene un ángulo de cuarenta
y cinco grados en dos lados —dice
Eloisa.

Los chicos de sexto juegan
al baloncesto contra las chicas.
El marcador queda cuarenta y seis
a cuarenta y seis. Los de nuestra
clase hacemos de animadores.

Leo un libro entero en voz alta
a mis compañeros. Tiene
cuarenta y siete palabras.

Félix come cuatro paquetes de
doce caramelos de Halloween.
La enfermera de la escuela lo
manda a casa con su mamá. Se
ha comido un total de cuarenta
y ocho caramelos.

49

"Clementina" es la canción favorita de papá cuando se ducha.
—¿Qué son los mineros del cuarenta y nueve? —le pregunto.
—Son los buscadores de oro que en el año 1849, viajaron al oeste —me dice.

En la cue-va, en el ca-ñón, exca-van-do en la mina

50

La bandera de Estados Unidos tiene cincuenta estrellas, una por cada estado. En nuestro cuaderno dibujamos un mapa de todos los estados.

51

Mi hermana Eloisa se cree muy mayor, pero no la dejan ir a la ciudad con sus amigos.
—Tengo cincuenta y una razones para no dejarte ir —le dice papá.
Eloisa no se queda a oírlas todas.

PORQUE...

52

La Pata Diana se ha mudado y yo estoy
muy triste.
La abuela juega conmigo a las cartas
para consolarme.
La baraja tiene cincuenta y dos cartas
y yo me las sé todas.

53

—Escribe una carta muy larga, con muchos dibujos, para la Pata Diana —me dice mamá.

Y eso es lo que hacemos. Yo hago los dibujos y mamá escribe lo que yo le digo. La enviamos a su nueva dirección: el número cincuenta y tres de Buckaroo Boulevard en Pecos, Nuevo México.

Pata Diana
53 Buckaroo Blvd.
Pecos
Nuevo México

54

Los gansos surcan el cielo. Se dirigen al sur para pasar el invierno. Dibujo cincuenta y cuatro puntos para señalar los gansos en el cartel de naturaleza de la señorita Cifra.

Emilia	·	·	·	···········
Raúl	·	·	·	
Luisa	·	·	·	

55

—¿Por qué no podemos ir a toda velocidad, como las motos? —le pregunta Leo a papá.

—Porque el límite de velocidad es de cincuenta y cinco millas por hora —dice mi papá.

56

El poema favorito de mi mamá es "Adivina de cuántas maneras te quiero."

—¿De cuántas, mamá?

—... De cincuenta y seis maneras... ¡Y de muchas más!

En clase preparamos pepinillos para el Día de Acción de Gracias. En la etiqueta del tarro leo: CINCUENTA Y SIETE VARIEDADES.

—¿Cuáles son los nombres de los cincuenta y siete tipos de pepinillos? —pregunto.

Pero ni siquiera la señorita Cifra lo sabe.

58

El Día de Acción de Gracias la abuela y yo sacamos los pasteles al jardín para que se enfríen. Pero fuera estamos a cincuenta y ocho grados de temperatura.

—El veranillo de San Martín —lo llama la abuela.

59

En la cena de Acción de Gracias todo el mundo da gracias por algo. Leo da gracias por cada uno de los cincuenta y nueve arándanos de la salsa.

60

Yo vigilo el cronómetro mientras mamá cocina. Una hora tiene sesenta minutos.

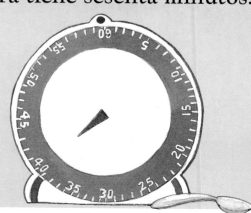

61

DOROTEA

TACONEA COMIDAS
A DOMICILIO

Toda la clase prepara
sándwiches de pavo para
las personas sin hogar. Así también ellas podrán celebrar
el día de Acción de Gracias. Preparamos cinco docenas más
uno para Dorotea, que conduce el camión. Eso hace un total
de sesenta y un sándwiches.

Papá y yo hacemos la compra de la semana.
En la lista de mamá hay sesenta y dos cosas.

62

—¡Hola! ¡Buenos días! —me saludan todos
en el autobús de la escuela.
He contado sesenta y tres holas.

64

—¿Por qué es azul el cielo? —le pregunta Félix a la abuela.
—Esa pregunta vale sesenta y cuatro mil dólares, por lo menos —dice la abuela.

65

Luisa es la mejor atleta de la clase. Es capaz de hacer una carrera de cien metros en sesenta y cinco segundos.

66

—¿Qué haréis de mayores? —nos pregunta la señorita Cifra a toda la clase.
—Yo conduciré mi propio auto por la ruta sesenta y seis. Cruzaré todo Norteamérica y por el camino visitaré a la Pata Diana —respondo.

67

¡La Pata Diana me envía un paquete! Es el primer paquete que recibo en mi vida. Lleva mi nombre y en el sobre pone CALLE DEL ROBLE SESENTA Y SIETE. Dentro del paquete hay una planta preciosa.

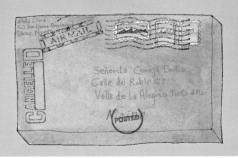

68

El abuelo trae sesenta y ocho bulbos de tulipán
a casa. Florecerán la próxima primavera.
Plantamos algunos en el jardín del señor
Girasol porque él ya es demasiado mayor
para plantarlos.

69

Eloisa toca a dúo con Clara en el concierto de Navidad de las Chicas Scout. Se han aprendido el "Opus Sesenta y nueve" de Mozart. —Eso quiere decir que es la obra número sesenta y nueve compuesta por Mozart —dice Eloisa.

70

Los más pequeños de la escuela encendemos velas diminutas en la cafetería, por la fiesta de Hanukkah. Setenta velas dan una luz preciosa.

71

A la abuela y a mí nos encanta preparar tartas.
Primero hay que pesar todo con cuidado.
—¡Dos cucharadas de besitos de chocolate! —dice
la abuela.
—¡Eso son setenta y un gramos! —digo yo.

72

En total preparamos seis docenas
de galletas para Navidad,
Hanukkah y Kwanza
para los niños del
hospital infantil. ¡Nada
menos que setenta
y dos galletas!

73

Eloisa y yo horneamos seis docenas de galletas de
arroz y huevo (y una más para Binky, la perra
de la señorita Cifra) para la cena
de Navidad del refugio
de animales. Esta vez,
setenta y tres.

74

74 pulgadas
de nieve
en Las Rocosas

—¡Vamos a tener una blanca Navidad!
—dice la señorita Cifra.
Nos dibuja un mapa del tiempo en la pizarra.
Nosotros lo coloreamos.
—En las montañas Rocosas han caído setenta y cuatro
pulgadas de nieve —dice la señorita Cifra—. ¡Imagínense
lo que es eso!

75

El abuelo construye un
velero con palillos. Su
lámpara de trabajo tiene una
bombilla de setenta y cinco
vatios.

A Eloisa le han pedido que toque "Setenta y seis Trombones" en la reunión de las Chicas Scout.
—¿Es que tienes que practicar setenta y seis veces al día? —pregunta, divertido, papá.

77

Todos hacemos calcetines para la campaña de Navidad de UNICEF. Nuestra escuela envía calcetines para setenta y siete niños de distintos países del mundo. Yo quiero escribirle una carta a quien reciba mi calcetín en una tierra lejana. No sé escribir todas las palabras así que pongo:

Feliz Feliz Feliz 🎄!

78

Preparamos guirnaldas
de Navidad. La señorita
Cifra las tiñe con pintura
dorada y plateada.
La mía está hecha
de setenta y ocho
palomitas pintadas
de color plateado.

79

—¿Una palabra que significa
tormenta de nieve?
—pregunta mamá.
—¿Ventisca? —digo yo.
Mamá me enseña a deletrear
ventisca y me deja escribirlo
en el crucigrama debajo del
número setenta y nueve.

Hay una niña nueva en la escuela: Ángela.
Viene de la playa "Ochenta Millas", que está
en Australia.
Ángela nos habla de *Ayers Rock*, los canguros,
los ornitorrincos y los árboles de eucaliptus.
Después buscamos Australia en el mapa.

81 La señorita Cifra nos enseña los grandes edificios del mundo. Yo construyo una pirámide egipcia con ochenta y un terrones de azúcar. En el auto, Leo se come el terrón de arriba.

82

Ángela no tiene amigos... Mi mamá invita a cenar a toda su familia. Ella y yo saltamos a la comba ochenta y dos veces sin parar.

83 TROPA 83

La hermana mayor de Ángela, Frida, es Guía Scout. Eloisa la invita a unirse a la tropa ochenta y tres de las Chicas Scout de Norteamérica. Frida acepta y se pone su uniforme australiano.

84

Preparamos siete docenas de galletas para el baile de los bomberos. ¡Ochenta y cuatro galletas! Ángela baila mientras un bombero toca el violín.

Nuestro profesor de gimnasia hace ochenta y cinco flexiones todas las mañanas.

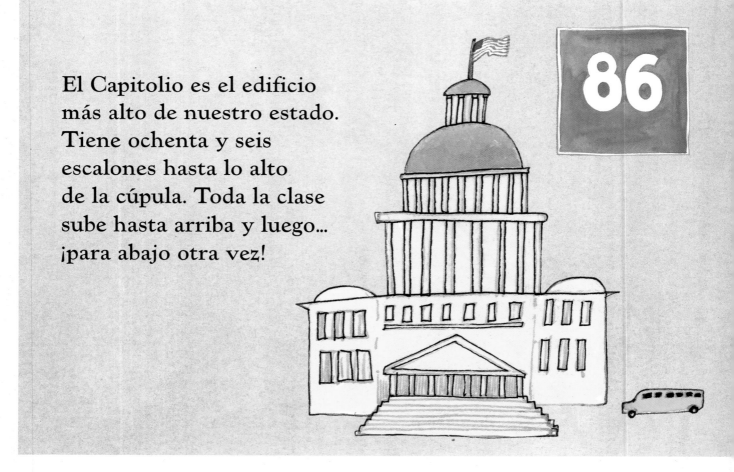

El Capitolio es el edificio más alto de nuestro estado. Tiene ochenta y seis escalones hasta lo alto de la cúpula. Toda la clase sube hasta arriba y luego... ¡para abajo otra vez!

Ángela se queda a dormir en casa. Ahora es mi mejor amiga. Contamos ochenta y siete estrellas en el cielo. Mi mamá dice que las estrellas en Austalia son todas distintas, pero la Luna es la misma.

88

Cada martes, a la hora de la comida, me siento con el señor Corneta al piano. Un piano tiene ochenta y ocho teclas y el señor Corneta las sabe tocar todas. Yo sé tocar y leer tres notas.

89

La tía Mimí está a dieta.
—La sopa de tomate tiene sólo
ochenta y nueve calorías —dice
la tía Mimí.
—Yo no veo ninguna
—dice Leo.

90

El señor Iceberg tiene noventa años
y pertenece al Club Polar. El agua
está helada en enero, pero no le
importa. Él sale a nadar todos los días
del año, en invierno y en verano.
—¡Siempre lo he hecho y siempre lo
haré! —dice el señor Iceberg.

91

La señorita Cifra nos cuenta que
su perra salchicha, Binky, es en
realidad una anciana de noventa
y un años. (Lo que corresponde
a trece años en una perra.)

92

Enciendo la radio y sintonizo
mi emisora favorita, *Country
noventa y dos*, la emisora de
música de banyo.

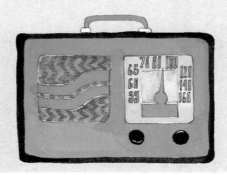

93

Ángela nunca ha visto el hielo, así que la llevamos a patinar.
Mi papá nos deja medir el hielo a través de un agujero hecho
por un pescador. El hielo del lago tiene noventa y tres
centímetros de grosor. ¡No hay ningún peligro!

94

Una tormenta derriba uno de nuestros árboles.

—Vamos a leer el tronco para ver cuántos años tenía el árbol —dice mi abuelo.

Hay noventa y cuatro anillos en el corte del árbol. Uno por cada año.

95

—Tengo noventa y cinco cosas que hacer —dice mi papá—, pero lo más importante es leerte un cuento.

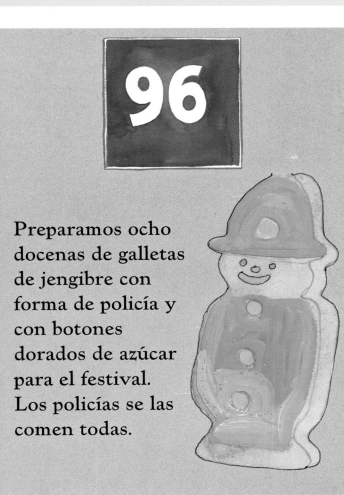

96

Preparamos ocho docenas de galletas de jengibre con forma de policía y con botones dorados de azúcar para el festival. Los policías se las comen todas.

97

¡Hoy hay que limpiar el barrio! Nuestra clase gana un lazo azul por recoger noventa y siete botellas y latas.

Tengo catarro. Mamá me toma la temperatura.
—¡Noventa y ocho grados! ¡No tienes fiebre! —dice mamá.
Pero me trae chocolate caliente y me deja quedarme en casa sin ir a la escuela. Desde la cama le escribo una carta a la Pata Diana. Esta vez la carta tiene más palabras que dibujos.

En el autobús de la escuela vamos todos cantando. Hoy cantamos:
Noventa patos
más nueve más,
noventa y nueve
nadando van.

Hoy se cumplen los cien primeros días de escuela.

—¡Se me ocurren cien cosas más que podríamos hacer! —dice la señorita Cifra.

Felix trae
cien dulces.

Marta lleva
cien botones.

Oto toca cien
promm, promm.

Raúl se queda
a la pata coja
cien segundos.

Ángela recita un poema
de cien palabras.

Jorge hace cien
volteretas
laterales.

Luisa corre
cien yardas.

Roberto se hace un
sombrero con cien chapas
de botella.

—¿Tú qué vas a hacer, Emilia? —me
preguntan todos.
Pero mi número cien es un secreto.

Familia Conejo
Calle del Roble 67
Valle de la Alegría
Junto al Mar

Queridos mamá, papá, abuela
y abuelo:
Hoy es el día número 100 de colegio.
Ya sé leer.
Ya sé escribir.
Ya sé contar 100 besos para ustedes x

Los quiere   Emilia x